À mes petits lecteurs, bon voyage !
OL

Aux petits globe-trotteurs. Le monde est à vous.
ET

Le loup
qui voulait faire le tour du monde

Texte de Orianne Lallemand
Illustrations de Éléonore Thuillier

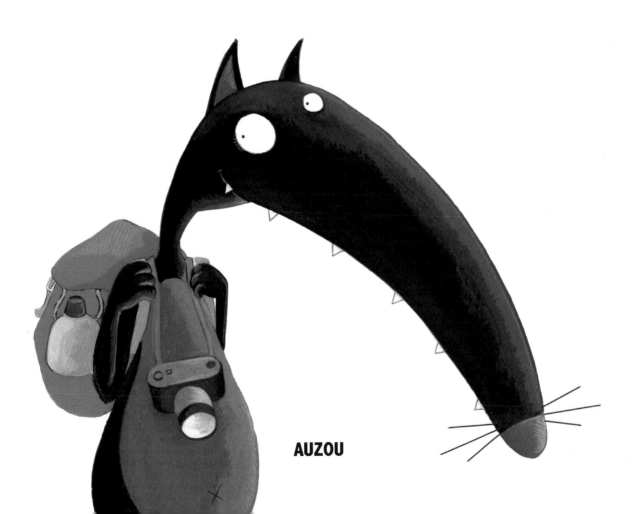

AUZOU

C'était l'hiver dans la forêt, et Loup s'ennuyait à longueur
de journée. Même ses amis ne savaient plus quoi faire pour lui...
Un matin, il se regarda dans son miroir et s'écria :
« J'ai trouvé ! Je vais voyager. Voir d'autres pays,
j'en ai toujours rêvé ! »

Aussitôt dit, aussitôt fait.
Sa valise fut bouclée.

3

À **Paris,** Loup admira la ville à bord
d'un bateau-mouche et découvrit la tour Eiffel.

« Qu'elle est grande et belle !
s'exclama-t-il, émerveillé.
– Si on monte tout en haut,
on peut voir le monde entier »,
lui assura un pigeon.

Vite, Loup grimpa au sommet
pour voir sa forêt. Mais là-haut,
il n'y avait que des toits à regarder.
Et des pigeons qui rigolaient !

Menu du jour :

– Fricassée de
cuisses de
grenouilles

– Crème brûlée

Salut les amis !

Je suis à **Paris**.
C'est une très belle ville
où il y a deux types de personnes :
des gens très pressés,
et des gens installés aux terrasses
des cafés.
Vous me manquez déjà !

Mes copains

Dans la Forêt lointaine

Votre ami, Loup.

5

À **Londres**, Loup visita la ville avec des écureuils fort
sympathiques. Puis il se rendit au palais de Buckingham :
« Je voudrais rencontrer la reine d'Angleterre, s'il vous plaît »,
demanda-t-il au garde devant l'entrée.

Le garde ne bougea pas.
Loup essaya de passer sur le côté...
mais le garde se mit à hurler :
« Au loup ! Au loup !
La reine est en danger ! »

Le pauvre loup fut attrapé
et jeté dans un vieux cachot.

Par chance, la reine avait tout vu depuis
son balcon, et elle le fit libérer de prison.
« Prendre le thé avec le loup, j'en ai
toujours rêvé », expliqua-t-elle à ses sujets.

En **Italie**, Loup mangea des pâtes, des pizzas et des glaces à tous les repas. Mamma Mia ! Comme il se régala !
À **Rome**, il fit le tour des musées, mais il en eut vite assez.

ROMULUS ET REMUS

À **Venise**, il fit un tour en gondole, mais sans sa louve chérie, tout lui semblait moins joli.

Ma Louve chérie,

Aujourd'hui, j'ai visité **Venise**, la ville des amoureux. C'était beau mais tu m'as beaucoup manqué. Alors je voulais te demander : est-ce que tu veux te marier avec moi ?

Ton Loup

En **Égypte**, Loup découvrit le sphinx et la grande pyramide.
« Que diriez-vous d'une petite balade jusqu'au Nil ?
lui proposa un dromadaire.
– Avec plaisir ! » se réjouit Loup.

Près du fleuve, Loup trempa avec délice ses pattes dans l'eau.
« Attention ! cria le dromadaire. Dans le Nil, il y a des...
– Au secours ! Un crocodile ! » hurla Loup,
échappant de peu aux terribles dents.

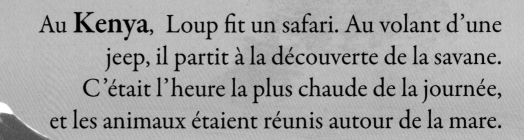

Au **Kenya**, Loup fit un safari. Au volant d'une jeep, il partit à la découverte de la savane. C'était l'heure la plus chaude de la journée, et les animaux étaient réunis autour de la mare.

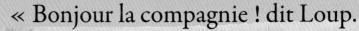

« Bonjour la compagnie ! dit Loup.
– C'est quoi ça ? demanda le zèbre.
– Chais-pas…, répondit l'hippopotame.
– Une sorte de hyène peut-être ? suggéra le lion.
– Mais non ! Je suis un LOUP.
– Un loup ! **Ahhhhhhh !** Sauve qui peut ! » hurlèrent les animaux terrorisés.

Et ils disparurent dans les fourrés,
laissant le pauvre loup seul et dépité.

Sur l'île de **Madagascar**, Loup vit des baobabs qui touchaient
le ciel et des fleurs aux couleurs extraordinaires.
Mais sous l'eau... C'était encore plus beau !
Loup nageait au milieu de poissons
multicolores quand, soudain,
un requin-baleine surgit près de lui...

« Au secours ! À moi ! »
cria Loup.

Sur la plage, un lémurien observait la scène.
« Pas de panique, Museau-Long, se moqua-t-il,
ce requin ne mange que du plancton ! »

Au **Népal**, Loup escalada l'Everest, la plus haute montagne de l'Himalaya. Arrivé au sommet, il s'assit pour se reposer.
Il ne vit pas tout de suite l'horrible créature qui l'observait...

« Bienvenue chez moi, bel étranger, roucoula Demoiselle Yéti.
Je pourrais te manger mais tu es trop mignon, je préfère t'épouser.
– Ah, ça non ! » cria Loup. Et il prit ses pattes à son cou.

Il dévala la montagne, traversa la vallée et le pays tout entier.

19

À bout de souffle, Loup s'arrêta au pied de la Muraille de **Chine**.
Il y avait là un grand panda qui prenait son repas.
« Que se passe-t-il, noble étranger ? s'inquiéta le panda.
Vous semblez bien pressé.
– Un yéti me poursuit ! Pouvez-vous m'indiquer l'aéroport
le plus proche, s'il vous plaît ?

– Avec plaisir, répondit le panda, mais avant cela,
voulez-vous partager mon repas ? »
Et il lui tendit un bol de riz.
Loup était affamé, il ne se fit pas prier !

Loup fut ravi d'arriver à **Sydney**, en **Australie**.
Quand il se fut bien reposé sur la plage, il décida d'aller surfer.

Hélas, cela ne se passa pas comme il l'avait imaginé...
Et il aurait fini noyé si un kangourou
ne l'avait pas repêché !

POST CARD

Salut Alfred,
Aujourd'hui, j'ai fait du surf
pour la première fois.
C'était génial de voler
sur les vagues !
Si tu avais vu ça,
tu aurais été fier de moi !

Loup, ton copain surfeur

Alfred

Dans la Forêt lointaine

2ᵉ maison à gauche

du nid de la pie

AUSTRALIA
60c

Loup arriva à **Rio** en plein carnaval.
Il s'acheta un déguisement et partit à la découverte de la ville.
Partout il y avait de la musique, des couleurs, du bonheur !

Loup se fit de nouveaux amis et dansa pendant des jours et des nuits. Quand la fête fut terminée, il fallut se rhabiller. Loup rangea ses plumes à regret. Jamais il ne s'était autant amusé !

À **New York**, Loup admira la statue de la Liberté, se balada au pied des buildings et fit du shopping.

WALL ST.

BROADWAY

5 av

Il choisissait un cadeau pour Gros-Louis quand il entendit un cri tout près de lui.
« Mon loup chéri ! Je t'ai enfin retrouvé !
– Ah, ça non ! » cria Loup et il prit ses pattes à son cou.

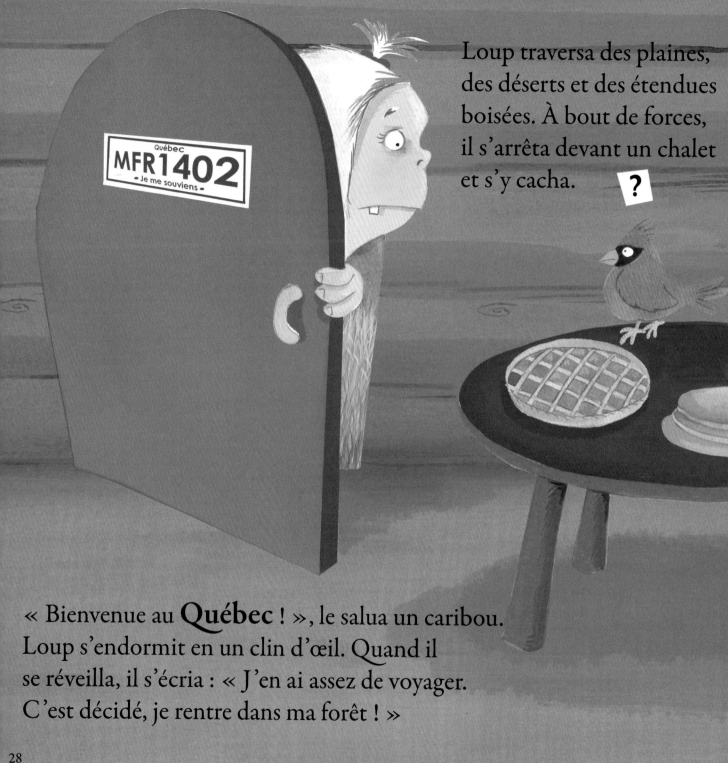

Loup traversa des plaines, des déserts et des étendues boisées. À bout de forces, il s'arrêta devant un chalet et s'y cacha. **?**

« Bienvenue au **Québec !** », le salua un caribou.
Loup s'endormit en un clin d'œil. Quand il
se réveilla, il s'écria : « J'en ai assez de voyager.
C'est décidé, je rentre dans ma forêt ! »

29

Lorsqu'il arriva chez lui, Loup poussa un
grand soupir de satisfaction :
« Quel bonheur de retrouver sa maison ! »
Il invita tous ses amis à dîner et se mit
aux fourneaux.

La soirée fut très animée.
Il paraît même qu'il y eut...
une invitée inattendue !

Disponible également en audio sur toutes les plateformes de streaming.

Relecture : Isabelle Delatour-Nicloux

OCÉAN GLACIAL
ARCTIQUE

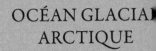

Amérique
du Nord

OCÉAN
ATLANTIQUE

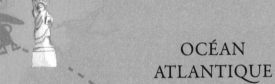

OCÉAN
PACIFIQUE

Amérique
du Sud